愛哭公主

文/賴曉妍、賴馬
圖/賴馬

你知道
愛哭公主是誰嗎？

我知道，
有一次我不小心
吃了她籃子裡
的水果，
她就哭了。

我知道，
上次去遊樂園，
我和她穿了
一樣的衣服，
她就哭了。

我̉也˙知丂道̐，
昨̑天˙我̉騎ˊ腳且踏ˋ車̑，
地˙上ˋ的˙水˙坑˙濺ˋ起˙水˙花˙
弄ˋ髒˙了˙她˙的˙衣-服ˋ
她˙就ˋ哭˙了˙。

還ˋ有˙還ˋ有˙，
我̉說˙她˙很̉愛ˋ哭˙，
她˙就ˋ哭˙了˙。

愛ㄞˋ哭ㄎㄨ公ㄍㄨㄥ主ㄓㄨˇ
嘴ㄗㄨㄟˇ巴ㄅㄚ大ㄉㄚˋ、
尾ㄨㄟˇ巴ㄅㄚ長ㄔㄤˊ。

愛ㄞˋ哭ㄎㄨ公ㄍㄨㄥ主ㄓㄨˇ
個ㄍㄜˋ子ㄗˇ小ㄒㄧㄠˇ、
哭ㄎㄨ聲ㄕㄥ大ㄉㄚˋ。

愛ゔ哭ゔ公ゞ主坐愛ゔ漂ゔ亮ゔ、
住坐城ゞ堡ゞ。

愛ゔ哭ゔ公ゞ主坐喜ゔ歡ゞ
粉ゞ紅ゞ色ゞ和ゞ
蝴ゞ蝶ゞ結ゞ。

走了走了！

溜——

愛ᔆ咪ᒼ公ᦞ主ᦞ是ᔆ一ᔆ個ᦵ
很ᡏ可ᡏ愛ᔆ的ᦠ小ᔆ女ᦞ生ᦊ。
可ᡏ是ᔆ，她ᵡ常ᵡ常ᵡ會ᡏ為ᵡ了ᦠ一ᔆ點ᦵ小ᔆ事ᦺ就ᦺ哭ᵡ，所ᦺ以ᔆ大᦯家ᦵ都ᦵ叫ᦵ她ᵡ
「愛ᔆ哭ᵡ公ᦞ主ᦞ」。今ᦵ天ᦵ，愛ᔆ哭ᵡ公ᦞ主ᦞ又ᦵ一ᔆ路ᦞ哭ᵡ著ᦠ回ᡏ家ᦵ。

小公主又哭啦？

快擦擦眼淚！

寶貝，怎麼啦？

嗚嗚……媽媽！

「寶貝別哭！」高貴的皇后媽媽跟往常一樣，抱著愛哭公主溫柔的說：「再過幾天就是你的生日了，我們請朋友來家裡玩，辦個粉紅色生日派對，好嗎？」愛哭公主擦擦眼淚，輕聲的說：「好」。

先練習一下。

好期待

HAPPY BIR

生日派對在花園裡舉行，
這次特別盛大，大家熱熱鬧鬧的布置著派對。

小心！

Milk

國王請了全城最好的
廚師和糕餅師傅來做派對用的
餐點，愛哭公主的哥哥也說當天要表演騎獨輪車呢！

終於到了派對當天。

「粉紅色派對」，當然所有的

東西和點心都是粉紅色的。

莓果波士頓派、水蜜桃布丁、
草莓甜心酥……，生日蛋糕上，
還擺了一個用粉紅糖霜做成的愛哭公主。

受邀參加派對的小朋友，都用粉紅色來裝扮自己。小熊向奶奶借了一頂粉紅色的淑女帽，黑面琵鷺挑了兩頂粉紅色派對帽，小蛇穿著粉紅色高領毛衣……，大家都盛裝打扮，連身上也塗成了粉紅色。

愛哭公主穿了粉紅色蓬蓬裙，頭戴粉紅色皇冠，手提粉紅色包包，穿著粉紅色靴子。

我ㄨㄛˇ的ㄉㄜ˙小ㄒㄧㄠˇ寶ㄅㄠˇ貝ㄅㄟˋ
好ㄏㄠˇ漂ㄆㄧㄠˋ亮ㄌㄧㄤˋ啊ㄚ˙！

開ㄎㄞ心ㄒㄧㄣ的ㄉㄜ˙
笑ㄒㄧㄠˋ臉ㄌㄧㄢˇ
真ㄓㄣ迷ㄇㄧˊ人ㄖㄣˊ。

是ㄕˋ啊ㄚˋ
只ㄓˇ要ㄧㄠˋ她ㄊㄚ
不ㄅㄨˋ哭ㄎㄨ。

派對才剛開始。
愛哭公主突然大叫！

一 那個黃色的東西是什麼？

原本熱鬧的會場，
一下子安靜了下來。
大家緊張的看著愛哭公主。

黃色的……

氣球！

媽媽！

為什麼會有 **黃色的** 氣球？

是老闆送的。

買 100 顆 送 1 顆！

黃色氣球……　　　怎麼會這樣……　　　嗚……

「嗚哇！ 我不要黃色氣球！

粉紅色派對不可以有

黃色氣球！」

愛哭公主大哭起來。

愛ﾏﾞ哭ﾏﾞ公ﾏﾞ主ﾏﾞ坐ﾏﾞ著ﾏﾞ哭ﾏﾞ、　　　　　躺ﾏﾞ著ﾏﾞ哭ﾏﾞ、　　　　　趴ﾏﾞ著ﾏﾞ哭ﾏﾞ、

愛ﾏﾞ哭ﾏﾞ公ﾏﾞ主ﾏﾞ哭ﾏﾞ得ﾏﾞ一ﾏﾞ發ﾏﾞ不ﾏﾞ可ﾏﾞ收ﾏﾞ拾ﾏﾞ，點ﾏﾞ心ﾏﾞ、蛋ﾏﾞ糕ﾏﾞ、飲ﾏﾞ料ﾏﾞ，
全ﾏﾞ灑ﾏﾞ在ﾏﾞ她ﾏﾞ美ﾏﾞ麗ﾏﾞ的ﾏﾞ禮ﾏﾞ服ﾏﾞ上ﾏﾞ。朋ﾏﾞ友ﾏﾞ們ﾏﾞ趕ﾏﾞ緊ﾏﾞ逃ﾏﾞ跑ﾏﾞ。

哇ﾏﾞ！

不ﾏﾞ要ﾏﾞ啦ﾏﾞ~~
我ﾏﾞ、我ﾏﾞ有ﾏﾞ事ﾏﾞ，
先ﾏﾞ走ﾏﾞ了ﾏﾞ。

我ﾏﾞ忘ﾏﾞ了ﾏﾞ
下ﾏﾞ午ﾏﾞ有ﾏﾞ鋼ﾏﾞ琴ﾏﾞ課ﾏﾞ！

愛哭公主哭了好久好久……
這次破了自己的紀錄，
哭了兩個小時又三十八分鐘。

「寶ㄅㄠ貝ㄅㄟ，你ㄋㄧ變ㄅㄧㄢ成ㄔㄥ一一個ㄍㄜ泥ㄋㄧ巴ㄅㄚ公ㄍㄨㄥ主ㄓㄨ了ㄌㄜ。」
皇ㄏㄨㄤ后ㄏㄡ溫ㄨㄣ柔ㄖㄡ的ㄉㄜ說ㄕㄨㄛ。

愛哭公主低頭看看自己滿身的泥巴，又看看前面一塌糊塗的派對，她小聲的說：「媽媽，我把派對搞砸了，對不對？ 我的朋友都被我嚇跑了。」

皇后摸摸愛哭公主的頭說：「嗯！我想你一定很傷心，
我們先去洗洗澡好嗎？」

愛哭公主一連洗了五盆泡泡澡，才把
身上的泥巴洗乾淨。洗完澡後，她的心情平靜多了。
「我可以再辦一次派對嗎？」愛哭公主問媽媽。
「如果下次派對，又發生讓你不開心的事，那怎麼辦
呢？」媽媽問。愛哭公主害羞的紅了臉。

睡前，媽媽教愛哭公主一個神奇的不哭咒語。

深呼吸123，
怪怪東西看不見，
哭哭臉變笑笑臉。

「遇到不開心的事，就可以唸一唸唷！」媽媽說。
愛哭公主用力的點點頭。

她決定下一次
要辦一個
「黃色派對」。

「黃色派對」，當然所有的東西和點心都要是黃色的。香蕉瑞士捲、南瓜果凍、起司泡芙……，派對蛋糕上，還擺了一個用黃色糖霜做成的愛哭公主。

再次來參加的小朋友都用黃色裝扮
自己，連身上也塗成了黃色。

愛哭公主穿了一件非常漂亮的黃色蓬
蓬裙，戴上一頂黃色皇冠，手上捧著
一束黃色玫瑰花。
另外，她還帶了媽媽特地為她準備的
「特製黃色眼鏡」。

派對才剛開始。
愛哭公主突然大叫！

那個藍色的東西是什麼？

愛哭公主跑過去一看，
原來是一頂藍色帽子。

搖～
搖～

「喔不！ 不會吧！」小狗說。
小象說：「又來了！」。

怎麼會有藍色的帽子？

喔！ 又要哭了！

大家全都屏住呼吸，
看著愛哭公主。

愛哭公主看著大家緊張
的樣子，想到了上次的
粉紅色派對。

深呼吸，123，
怪怪東西看不見，
哭哭臉變笑笑臉。

然後，拿出媽媽為她
準備的「特製黃色
眼鏡」。

原來這副眼鏡，不管
看什麼，都是黃色的。

「對了！」
愛哭公主想到
媽媽教她的不哭咒語

愛哭公主戴起眼鏡看看大家，再看看手上的帽子，她笑了起來。

「這頂藍色帽子好漂亮！」
她問朋友們：
「我們下次再辦一個
藍色派對好不好？」

萬歲！

「好ㄏㄠˇ！」

大ㄉㄚˋ家ㄐㄧㄚ高ㄍㄠ聲ㄕㄥ歡ㄏㄨㄢ呼ㄏㄨ。

耶ㄧㄝˊ！

還有，以後請叫我
「愛咪公主」。

好，
一定！

國家圖書館出版品預行編目（CIP）資料

愛哭公主 mini／賴曉妍，賴馬文；賴馬圖. -- 第一
版. -- 臺北市：親子天下股份有限公司, 2023.08
44面；16.5x16公分. --（繪本：0336）國語注音
ISBN 978-626-305-517-9（精裝）

1.SHTB：圖畫故事書--3-6歲幼兒讀物

863.599   112008855

愛哭
公主
mini

文｜賴曉妍、賴馬　圖｜賴馬
美術設計｜賴曉妍、賴馬
封面內頁手寫字｜賴拓希、賴咸穎
責任編輯｜黃雅妮
mini 版責任編輯｜張佑旭
mini 版美術編輯｜王瑋薇
行銷企劃｜高嘉吟

天下雜誌群創辦人｜殷允芃
董事長兼執行長｜何琦瑜
媒體暨產品事業群
總經理｜游玉雪　副總經理｜林彥傑　總編輯｜林欣靜
行銷總監｜林育菁　資深主編｜蔡忠琦
版權主任｜何晨瑋、黃微真

出版者｜親子天下股份有限公司
地址｜台北市 104 建國北路一段 96 號 4 樓
電話｜（02）2509-2800　傳真｜（02）2509-2462
網址｜www.parenting.com.tw
讀者服務專線｜（02）2662-0332　週一～週五：09:00~17:30
傳真｜（02）2662-6048　客服信箱｜parenting@cw.com.tw
法律顧問｜台英國際商務法律事務所，羅明通律師
製版印刷｜中原造像股份有限公司
總經銷｜大和圖書有限公司　電話：（02）8990-2588

出版日期｜2023 年 8 月第一版第一次印行　定價｜300 元
書號｜BKKP0336P　ISBN｜978-626-305-517-9（精裝）

mini 版之圖文呈現已略作調整，以利閱讀

———————— 訂購服務 ————————
親子天下 Shopping｜shopping.parenting.com.tw
海外・大量訂購｜parenting@service.cw.com.tw
書香花園｜台北市建國北路二段 6 巷 11 號　電話（02）2506-1635
劃撥帳號｜50331356　親子天下股份有限公司

< 立即購買

有聲故事書

關於賴馬

1968 年生，27 歲那年出版第一本書《我變成一隻噴火龍了!》即獲得好評，從此成專職的圖畫書創作者。

在賴馬的創作裡，每個看似幽默輕鬆的故事，其實結構嚴謹，不但務求合情合理、還要符合邏輯，每有新作都廣受喜愛。

2014 年出版的《愛哭公主》榮獲兒童及少年圖書金鼎獎，更於 2016 年榮獲博客來年度最暢銷作華文作家，《生氣王子》、《勇敢小火車》、《最棒的禮物》等作品也深受國內外讀者喜愛，創下亮眼的銷售成績，足以顯示賴馬在圖畫書世界的魅力。

關於賴曉妍

美麗知性兼具的賴馬太太、賴家三個小孩的親娘，也是賴馬家庭創作事業體的 CEO。工作時捕獲賴馬一枚。

（另一真實性較高的說法是賴馬對太太一見鍾情，死纏爛打，每天一封情書）

與賴馬的情緒系列作品一樣，本書改編自媽媽與孩子們的自創床邊故事。

並著有《賴馬家的 52 周生活週記簿》、《朱瑞福的游泳課》、《無意良母》、《無意良母貳：我很會養別人家老公》等作品。